Y
Rhiain Gwsg

SLEEPING BEAUTY

Addasiad Heather Amery
Lluniau gan Stephen Cartwright

Golygwyd gan Jenny Tyler

Trosiad gan Elin Meek

Mae hwyaden fach felen yn cuddio ar bob tudalen.
There's a little yellow duck to find on every page.

Mae Brenin a Brenhines dda a charedig yn cael merch fach.
Maen nhw wrth eu bodd, ac yn dwlu ar y Dywysoges fach.

A good, kind King and his Queen have a baby girl. They are
delighted, and love the little Princess.

Mae chwe thylwythen deg dda yn dod i wledd fedydd y Dywysoges fach. Ond mae'r Brenin yn anghofio gwahodd y seithfed dylwythen, sy'n gas ac yn greulon.

Six good fairies come to the Princess's christening feast. The King forgets to invite the seventh fairy, who is nasty and wicked.

Mae'r tylwyth teg da yn dymuno'n dda i'r baban. Mae'r chweched dylwythen deg dda ar fin gwneud ei dymuniad. Yna, mae'r dylwythen gas yn cyrraedd, yn wyllt gacwn.

The good fairies make good wishes for the baby. The sixth good fairy is about to make her wish when the wicked fairy appears, looking very angry.

"Fe fydd hi'n pigo'i bys ar rod nyddu, ac yn marw," medd hi. "Na fydd," medd y dylwythen deg dda. "Dwi'n dymuno y bydd hi'n cysgu am gan mlynedd, nid yn marw."

"She'll prick her finger on a spinning wheel and die," says the bad fairy. "No," says the good fairy. "My wish is she won't die, but will sleep for a hundred years."

Mae'r Frenhines yn llefain. Mae'r Brenin yn gweiddi, "Rhaid llosgi pob rhod nyddu yn fy nheyrnas. Wedyn fydd y Dywysoges ddim yn gallu pigo'i bys."

The Queen cries and the King shouts. "All spinning wheels in my kingdom must be burned," he orders. "Then the Princess can't prick her finger on one."

Mae'r Dywysoges yn tyfu ac mae 'na Ddawns Fawr ar ei phen-blwydd yn un deg saith. Mae'r chwe thylwythen deg dda yn dod i'r palas. Does neb yn cofio am y dylwythen ddrwg.

The Princess grows up and she has a Grand Ball on her seventeenth birthday. The six good fairies come to the palace. Everyone has forgotten the wicked fairy.

Y diwrnod wedyn, mae'r Dywysoges yn dod o hyd i risiau newydd. Ar ben y grisiau, mewn ystafell fach, mae hen wraig wrth rod nyddu. Y dylwythen ddrwg yw hi.

The next day, the Princess finds a new staircase. In a room at the top is an old woman, with a spinning wheel. It's the wicked fairy in disguise.

"Beth ydych chi'n ei wneud?" gofynna'r Dywysoges. "Dwi'n nyddu. Dere i gael gweld," meddai'r hen wraig. Mae'r Dywysoges yn estyn ei llaw ac yn pigo'i bys.

"What are you doing?" asks the Princess. "I'm spinning. Come, I'll show you," says the old woman. The Princess puts out her hand and pricks her finger.

Mae hi'n syrthio i gysgu'n syth, a phawb arall yn y palas hefyd.
Mae'r chwe thylwythen deg dda yn cario'r Dywysoges i'w gwely.
Mae'r dylwythen ddrwg yn diflannu.

At once, she falls fast asleep, and everyone else in the palace too.
The six good fairies carry the Princess to her bed. The wicked fairy
disappears.

Mae'r palas yn llonydd am gan mlynedd. Mae coedwig drwchus yn tyfu o'i gwmpas. Dim ond y to sydd i'w weld. Mae'r tylwyth teg da yn cadw golwg ar y palas.

Nothing moves in the palace for a hundred years. A thick forest grows up around it. Only the roof shows above the tree tops. The good fairies watch over the palace.

Yna, mae Tywysog ifanc yn cerdded gerllaw'r palas. Mae e'n gweld y to ac yn gofyn i hen ŵr am y lle. "Mae Tywysoges yn cysgu yno," medd ef, "ond does neb yn gallu mynd i mewn."

Then a young Prince walks near the palace. He sees the roof and asks an old man about it. "A Princess sleeps in there," he says, "but there's no way in."

Mae'r Tywysog yn cerdded at y palas. Mae'r coed yn symud er mwyn iddo fynd drwodd. Mae e'n rhedeg i fyny'r grisiau ac i mewn drwy'r drws agored. Does dim siw na miw i'w glywed.

The Prince walks to the palace. The trees move apart and let him through. He runs up the steps and in through the open door. It is very quiet.

Mae'r Tywysog yn dod o hyd i'r Dywysoges yn cysgu. Mae hi'n hardd iawn, felly mae e'n rhoi cusan iddi. Mae hi'n agor ei llygaid ac yn gwenu. "Dyma ti, o'r diwedd," medd hi.

The Prince finds the Princess asleep. She is so beautiful, he kisses her. She opens her eyes and smiles. "You've come at last," she says.

Mae pawb yn y palas yn deffro. "Mae eisiau bwyd arna i," medd y Brenin. "Heno fe gawn ni wledd fawr." Mae e'n diolch i'r Tywysog am achub pawb.

Everyone in the palace wakes up. "I'm hungry," says the King. "Tonight we'll have a great feast," and he thanks the Prince for saving them.

Mae'r Tywysog yn gofyn a gaiff e briodi'r Dywysoges. "Cei, wrth gwrs," medd y Brenin. "Gwych," medd y Dywysoges. Cyn hir mae 'na briodas fawr ac maen nhw'n hapus byth wedyn.

The Prince asks if he may marry the Princess. "Of course," says the King. "Yes, please," says the Princess. Soon there's a grand wedding, and they're always happy.

© 2003 Usborne Publishing Ltd. © 2010 y fersiwn Gymraeg Dref Wen Cyf.
Cyhoeddwyd gyntaf yn Saesneg gan Usborne Publishing Ltd. dan y teitl *Sleeping Beauty*.
Cyhoeddwyd gan Wasg y Dref Wen Cyf., 28 Ffordd yr Eglwys, Yr Eglwys Newydd, Caerdydd CF14 2EA Ffôn 029 20617860. Cedwir pob hawlfraint. Ni chaiff unrhyw ran o'r llyfr hwn ei hatgynhyrchu na'i storio mewn system adferadwy na'i hanfon allan mewn unrhyw ffordd na thrwy unrhyw gyfrwng electronig, peirianyddol, llungopïo, recordio nac unrhyw ffordd arall heb ganiatâd ymlaen llaw gan y cyhoeddwyr. Mae'r cyhoeddwr yn cydnabod cefnogaeth ariannol Cyngor Llyfrau Cymru. Argraffwyd yn China.